PEPA VI...
TAXISTA...

Fantasmas en la escalera

Alicia Estopiñá y Neus Sans

ifusión

Fantasmas en la escalera

Fantasmas en la escalera
Serie Pepa Villa, taxista en Barcelona
Alicia Estopiñá y Neus Sans

Coordinación editorial: Jaime Corpas
Redacción: Pablo Garrido
Diseño y maquetación: Oscar García Ortega
Ilustraciones: Kim

Grabación CD: Blind Records
Locutora: Cristina Carrasco

ISBN: 978-84-8443-589-1
Depósito Legal: M-12447-2009

Impreso en España por RARO

difusión
Centro de
Investigación y
Publicaciones
de Idiomas, S. L.

C/ Trafalgar, 10, entlo. 1ª
08010 Barcelona
Tel. (+34) 93 268 03 00
Fax (+34) 93 310 33 40
editorial@difusion.com

www.difusion.com

Pepa Villa. Es una joven taxista que vive en Barcelona.

 Loli. Es amiga y vecina de Pepa. Tiene una peluquería y en esta novela va a hacerle a Pepa un nuevo *look*.

 El Sr. Ramón. Es un vecino de Pepa, de la misma escalera. Sufre un infarto al principio de la historia.

 La Sra. Montserrat. Es la viuda del Sr. Ramón, que intenta acostumbrarse a su nueva vida en compañía de su inseparable perrito y, a veces, de fantasmas...

 Aristóteles. Es el perro de la Sra. Montserrat. Es un perro de raza, pero algunos lo encuentran muy feo. Además, no tiene muy buen carácter.

 Armando. Es uno de los amigos de Pepa. Es argentino y tiene un bar al lado de casa de Pepa.

 Raúl. Es un amigo de Pepa. Ex presidiario, ex camello, juerguista, despistado...

 Ariel. Es un joven y atractivo abogado, sobrino de la Sra. Montserrat.

Barcelona. 28 de octubre. 10.00 h.

Pepa quiere irse de vacaciones. Lejos, muy lejos... ¿A África? ¿A Vietnam? ¿A Madagascar?... Estamos en octubre y no hay muchos turistas en Barcelona. Bueno, en Barcelona siempre hay turistas, pero en octubre menos. Es un buen momento para irse de vacaciones y descansar. Olvidar su taxi, la policía municipal, su casa y un novio, Federico. El último novio de Pepa se llama Federico. Solo han estado tres meses juntos, pero... No es mal chico. Es dulce y bastante guapo. ¡Pero quiere casarse y tener muchos niños! No, no, no, no... «Adiós, Federico», piensa Pepa. «Es buen chico, pero... ¿vivir con Federico siempre?»

—No, no, no, no... Tengo que hablar con él —se dice a sí misma, y entra en la ducha.

Ahora, en la peluquería de su calle, Pepa mira un folleto de la agencia Sueños lejanos: fotos de playas del Caribe y montañas suizas, cruceros y pirámides mayas... Pero todos los viajes son muy caros. Pepa es taxista y no gana mucho dinero. Además, está pagando la *licencia*[1] del taxi y el coche.

La peluquería es un pequeño local que necesita urgentemente una reforma. Se llama Loli Fashion y, aunque Loli, la peluquera, no es nada *fashion*[2], sí es una buena amiga de Pepa. Son totalmente diferentes, pero se llevan bien. El único problema es que Loli siempre le quiere cambiar el *look*[3] a Pepa. Y hoy Pepa está de mal humor.

—¿Qué? ¿Te hago algo especial? ¿Algo diferente? ¿*Super, superfashion*? —pregunta Loli.

—Quiero el pelo cortito, como siempre.

—Pepa, qué aburrida eres, qué sosa... Mira qué cosas tan monas se llevan esta temporada... Colores, cortes especiales, alisado japonés, cosas extremas, modernas... ¿Cómo vas a *ligar*[4] con este pelo?

—Ya sabes: yo soy yo... Y me gusta mi pelo. Y a veces ligo. ¿Qué es eso del «alisado japonés»?

—Uy, pues una maravilla... ¡Divino! ¿Ves estos rizos? Pues nada, con el alisado japonés, no queda ni un rizo. Tenemos un nuevo producto que... Tienes que hacértelo. Es fantástico.

—Vale, vale, vale: alisado japonés —acepta Pepa. A Pepa no le gusta su pelo y por eso nunca lo lleva demasiado largo. Y hoy no quiere discutir con Loli.

Y, sí, es verdad: necesita cambios, cosas nuevas... *Y qué coño*[5]: un novio nuevo. Necesita un novio nuevo. Federico *es un plomo*[6]. Muy buen chico, pero un plomo: no bebe, no fuma, no liga con otras, trabaja en un banco y se gana la vida... Pero es un plomo. ¡Y siempre lleva trajes grises!

Para la primera fase, el pelo y un viaje. Una playa tropical, unas buenas novelas y... lo del novio nuevo, ya veremos.

Barcelona. 28 de octubre. 10.30 h.

Loli le pone en la cabeza una crema blanca que apesta a amoniaco. Pepa observa pacientemente cómo su amiga distribuye el mágico producto.

—¿Seguro que esto funciona?

—Claro, mujer.... Vas a ser la *tía*[7] más guapa de *Gracia*[8]. Mejor dicho, la taxista más guapa de Barcelona.

«Lo necesito», se dice Pepa, y se mira con escepticismo en el espejo. «¿Por qué todos tenemos este aspecto horrible en la peluquería?», piensa.

De pronto, se oye una ambulancia. Para frente a la peluquería.

—¿Qué pasa? —pregunta Pepa.

Loli sale a la puerta de la peluquería. Loli lo sabe todo en el barrio. Ya se sabe: las peluquerías de barrio son auténticas oficinas de la CIA, o peor. Y Loli necesita estar perfectamente informada. Cinco minutos después, Pepa, con la cabeza llena de crema japonesa, se levanta y se asoma a la puerta. Parece un *alien*, con su capa de plástico y la crema en la cabeza.

—Loli, ¿qué pasa? —la peluquera habla con la portera del edificio de al lado, el mismo edificio en el que vive Pepa.

Loli regresa con cara de tragedia. Pepa casi nunca le hace demasiado caso cuando la ve así, porque Loli es muy teatrera, pero esta vez parece que va en serio.

—¡El señor Ramón! Pobre señor Ramón... Pobre señora Montserrat... ¡Qué pena! – dice Loli, y una lágrima gorda cae por su cara supermaquillada.

—Pero, ¿qué pasa? —pregunta Pepa impaciente.

—Pues la señora Montserrat, ya sabes, la vecina del primero... Esa señora tan amable con el perrito.

—¿El perrito horrible...?

—Sí... ¡Lo ha encontrado muerto en la cama!

—¿Al perrito?

—No, mujer, al marido. Al señor Ramón, *que en paz descanse*[9].

—*Joder, qué fuerte...*[10] Viven en el primero. ¡En el mismo edificio que yo! Y lo llevo muchas veces en el taxi. Al médico, y esas cosas.

—Pues esta vez se lo ha llevado Dios —dice Loli, que ahora parece una estrella americana del cine de los años 50 interpretando la escena más trágica de la película.

—¿Tú los conoces mucho? —pregunta Pepa.

—Bueno... No, mucho no. Ella es muy buena clienta. ¡Viene dos veces por semana! Y él... un buen hombre —Loli suspira y continúa—. ¡Ay, *no somos nada*[11]! Estamos cuatro días en el mundo y ¡zas!, llega un día, de repente, y ya no estamos.

—Sí, Loli, no somos nada. Pero, ahora, por favor, ¿me puedes quitar esto de la cabeza?

Loli mira dramáticamente el reloj y responde:

—Faltan dos minutos y medio.

Barcelona. 28 de octubre. 12.30 h.

Ir a las Islas Maldivas o a Martinica es muy caro: como mínimo, 2500 euros. ¿Canarias? No. Le apetece ir al extranjero. En un cajero automático Pepa mira cuánto dinero hay en su cuenta corriente y se deprime: ¡ni para Canarias tiene suficiente!

El peinado que le ha hecho su amiga Loli es horrible. Con la ambulancia y la muerte del vecino, del señor Ramón, Loli ha calculado mal. Le ha dejado el producto demasiado tiempo. Parece una cantante de *reggae* con minirrastas de quince centímetros.

Va hacia la plaza del Sol, donde tiene una plaza de párking para el taxi. Hace un día feo, frío y húmedo. Gracia, el barrio donde vive y que tanto le gusta normalmente, le parece hoy triste y sucio. Para animarse, decide tomar un café con leche en el bar de Armando.

Armando le sirve el café a Pepa. Esta toma el vaso con las dos manos y cierra los ojos con placer. «¡Cómo me gusta el café con leche!», piensa.

—El mejor café del barrio, Armando... —dice Pepa.

—Para la taxista más *linda*[12]...

—¡Por favor, Armando...! Hoy estoy horrible.

—¡Pero qué *decís*[13]...! *Sos*[14] la más linda de las taxistas de Barcelona.

Armando es argentino y lleva 30 años en Barcelona. Pero sigue hablando el español con *acento porteño*[15]. «El acento es como parte de tu persona. No se puede perder», dice él siempre. Es como el psicoanalista del barrio: escucha tranquilamente los problemas de sus clientes y les da consejos muy sabios.

En este momento entra Raúl. Raúl ha hecho mil cosas en la vida. Ha estado dos años, según él «muy *chungos*[16]» en *Alcalá Meco*[17] y no quiere volver al *talego*[18]. Ha sido mecánico, *camello*[19], camarero, boxeador... Ahora, trabaja en el párking donde guarda el taxi Pepa. Y parece que sus únicas drogas son la cerveza de lata y una planta de marihuana que sobrevive milagrosamente en el patio del párking. Es feo, maleducado, medio salvaje... y una muy buena persona.

—Pero Pepa... ¿qué te ha pasado en el pelo? Si parece que has metido los dedos en un enchufe... Je, je, je...

—No tiene gracia.

—Tranquila mujer, es solo una broma.

— Vos *sos un tarado*[20], Raúl... —murmura Armando—. Eso no se le dice a una señorita.

—¿Pepa una señorita? Je, je, je... Tú sí que estás de broma.

Pepa mira a Raúl con odio.

—Vale, vale, vale... Es una broma, solo una broma. Ya está, ya está... —dice él—. Por cierto, *ha palmao*[21] un vecino, ¿no? —comenta Raúl para cambiar de tema.

—Sí, del corazón. El señor Ramón, el marido de la señora Montserrat. La del perrito horrible —añade Pepa.

—Un pomerania —dice Armando.

—¿Qué? —pregunta Raúl.

—Que el perrito horrible es un pomerania. Pomerania es una raza de perros muy cara.

—Pues es muy feo, parece un murciélago... —dice Raúl.

—Un murciélago muy caro —añade Armando.

—Bueno, chicos... Yo me voy a trabajar —dice Pepa, y sale del bar.

30 de octubre. Por la mañana.

Pepa se levanta pronto. Se prepara un café y piensa «a ver si trabajo bien hoy, ahorro algo y en enero me voy al Caribe».

Sale a la calle. Frente a la casa hay tres hombres. Miran unos planos y hablan del edificio.

—Ya tenemos el segundo, el tercero...

Pepa sabe que una constructora quiere comprar todo el edificio. Pepa vive en el ático, en un piso muy pequeño, pero con una terraza muy bonita desde la que se ve un poquito el mar. Pasa lentamente al lado de los hombres para escuchar la conversación.

—El problema es la vieja del primero —dice uno de ellos, gordito y con aspecto de mafioso.

«¿La vieja del primero? Es la señora Montserrat...», piensa Pepa.

Va a la plaza del Sol y vuelve hacia su calle con el taxi. Quiere saber más de esos tipos. Pepa tiene un contrato de alquiler para tres años y no quiere dejar su ático. Pasa lentamente en coche por delante del edificio. Los hombres de los planos están allí todavía, en la acera. Parece que se están despidiendo. Uno de ellos levanta la mano.

—¡Taxi! —grita.

Pepa se para y dos de los hombres suben al taxi.

—Calle Muntaner, 367 —dicen directamente. No han dicho «buenos días». Pepa clasifica a sus pasajeros en dos clases: los que dicen «buenos días» y los que no dicen «buenos días».

Pepa escucha con atención lo que dicen. No la conocen. No saben que es la vecina del ático.

—Tenemos que hacer algo con la vieja —dice uno.

—Sí, tiene que vender su piso. Necesitamos todo el edificio para la operación.

—¿Y el ático? ¿Qué pasa con el ático?

—Eso no es problema.

«¿No es problema?», piensa Pepa. «¡Para mí sí que es un problema!»

En la calle Muntaner bajan. Y no dicen adiós. ¡Claro!

Pepa escribe en su agenda la dirección: Muntaner, 367. Quiere saber más sobre esta *movida*[22].

A las diez suena el teléfono móvil de Pepa. Es Federico.

—Hola, mi amor... ¿Comemos juntos? —pregunta él.

—Tengo mucho trabajo, y hoy...

—Bueno, vale... Te llamo luego.

«¡Federico es tan bueno! Siempre está de acuerdo en todo. Pero no estoy enamorada, joder...», piensa Pepa. «Mañana hablo con él y lo dejamos».

30 de octubre. Por la tarde.

Por la tarde es el funeral del señor Ramón. Hay mucha gente en la iglesia de la plaza de la Virreina. Familia y vecinos. Pepa conoce a muchos de ellos. Naturalmente están ahí Loli y Armando.

Llega la señora Montserrat con el perrito. El pomerania que parece un murciélago. Aristóteles, se llama. La señora Montserrat piensa que es muy inteligente y por eso el perro tiene ese nombre.

«¿Va a la iglesia el perro?», se pregunta Pepa. Pero ve que llega Raúl. La señora Montserrat le da el perro y Raúl se pone a pasear con él por la plaza. Raúl ve a Pepa.

—Ocho euros la hora —le dice Raúl.

—¿Cómo?

—Que ahora soy paseador de perros, tía... La señora Montserrat me paga ocho euros la hora por estar con Aristóteles.

—Qué bien —dice Pepa.

—Es un pomerania, ¿sabes? —dice Raúl—. Con muy *mala leche*[23], pero de pura raza.

—Sí, ya lo sé.

—Ahora soy paseador de perros — vuelve a decir Raúl, orgulloso—. Creo que es una profesión con futuro.

—¿Y ya tienes varios clientes?

—No, de momento, solo Aristóteles.

Pepa entra en la iglesia con Loli. Se sienta al final: no le gustan los entierros.

30 de octubre. 19.00 h.

A las siete, Pepa aparca el taxi. No hay mucho trabajo y está cansada. Antes de ir a casa, pasa por el bar de Armando. En la barra está la señora Montserrat, que se está tomando una tila.

—Hola, señora Montserrat. Lo siento mucho —dice Pepa. «¿Qué se dice en estos casos? Ni idea», piensa Pepa.

La señora Montserrat le da las gracias con dos besos muy sonoros. No es necesario decir nada: la señora Montserrat lo dice todo.

El perrito horrible se pone a dormir sobre el pie de Pepa. Cada vez que ella se mueve, el perro gruñe. También él parece deprimido. ¡Normal!

—Pues, como le decía a Armando: en nuestra casa pasan cosas raras, muy raras, Pepa.

— ¿Qué cosas raras? —pregunta Pepa.

— ¡Hay fantasmas! —dice la señora Montserrat con los ojos bien abiertos.

— ¿Cómo? ¿Qué?

— Sí, chica, sí. Es terrible. Ya sé, vais a pensar: «Esta pobre vieja está loca...». Pero algo pasa. Hay ruidos raros, gritos...

Armando quiere tranquilizarla:

—Mujer, tranquila, es el *shock*... Es normal, los primeros días...

—Armando, que no... Ya sé que los argentinos sois muy psicólogos, pero yo no estoy loca. Veo cosas y oigo cosas... Ay, pobre mi Ramón... Quizá está vagando por la casa, *como un alma en pena*[24]....

— ¿Cómo un fantasma, quiere decir? —pregunta Pepa.

—Eso, como un fantasma —dice la señora Montserrat muy seria.

En ese momento se oyen unos gritos terribles.

—Uuuuuuh, aaaaah, oooooooh...

Todos dan un salto y miran hacia los gritos.

No es un fantasma. En la puerta está Raúl. Aristóteles, el perro-murciélago, le clava sus pequeños dientes en la pierna.

— ¡Aristóles, *cabrón*[25]! ¡Qué haces! ¡Que soy tu amigo! —grita entre lamentos Raúl.

—Ese sí que es un *fantasma*[26] —dice Pepa.

Cuando por fin Raúl está libre de Aristóteles, la señora Montserrat se toma una segunda tila. Raúl reclama un *carajillo de Torres*[27].

—Te invito yo —dice la señora Montserrat—. Aristóteles, eres muy malo. Malo, malo, malo...

—Con mucho coñac —dice Raúl cuando sabe que la señora Montserrat es la que paga.

—¡Pobre Aristóteles! —exclama la mujer—. Es que tiene mucho carácter...

—Grrrrrrrrrrrrr —dice simplemente Aristóteles, que sigue mirando a Raúl.

—Perro desagradecido —comenta Raúl—. Eso no es carácter. ¡Es mala leche!

Al final todos están ya más tranquilos, Raúl, Aristóteles y su dueña.

Armando le da su número de móvil.

—Señora Montserrat, usted me llama si tiene miedo. A cualquier hora, de día o de noche —le dice el argentino—. Hablamos un rato, usted me cuenta sobre sus fantasmas...

—*Y dale con*[28] la psicología —dice Raúl.

—Y a mí también me puede llamar. Ya tiene mi teléfono, ¿no? —añade Pepa.

La señora Montserrat les da las gracias a todos, paga sus tilas y el carajillo de Raúl y sale con Aristóteles. Es una mujer valiente.

«Además, si el fantasma es mi difunto Ramón...», piensa entrando en la casa. «En 40 años no hemos tenido problemas, o sea, que ahora, vivo o muerto... Bueno, solamente cuando el *Barça*[29] no va bien...»

31 de octubre

Pepa ha trabajado bien hoy. Mucha gente se prepara para esta noche y toman taxis. Es una noche especial. Es la víspera del 1 de noviembre, día de Todos los Santos. En Cataluña, y en Barcelona, su capital, algunos celebran la fiesta del modo tradicional: se comen *castañas, boniatos y panellets*[30]. Otros lo celebran como en los países anglosajones, o sea como en Halloween, vestidos de monstruos, brujas y máscaras de plástico de asesinos o dráculas. Pepa, en estas cosas, es muy tradicional. Y a las siete se va a casa. Ha comprado castañas y almendras en *La Boquería*[31], y quiere invitar a Armando. No tiene ganas de ver a Federico, su novio. Va a inventarse alguna excusa. «No estoy preparada todavía para hablar con él», piensa. Antes de ir a casa, pasa por el bar de Armando.

—¿Qué haces esta noche, Armando? —le pregunta después de pedir una cerveza.

—¿Por qué?

—No, no, por nada...

—Voy al aeropuerto a buscar a unos amigos, que *llegaron recién*[32] de Buenos Aires.

—Ah, qué bien, qué bien... —contesta Pepa. Va a comerse sola los *panellets* y las castañas. «*Mejor sola que mal acompañada*[33]», piensa para justificarse. Después de la cerveza se va a casa dando un paseo.

En casa, busca una receta de *panellets* en internet. Siempre los compra en una pastelería, pero hoy, excepcionalmente, tiene ganas de cocinar. Y no parece tan difícil.

PANELLETS

*Ingredientes para
50 panellets*

*400 g de almendra
pelada y rallada,
300 g de azúcar,
200 g de patata,
ralladura de un limón,
1 cucharadita de café soluble,
100 g de coco rallado, 200 g de piñones.*

Triturar una patata hervida y mezclarla con la almendra y la piel de limón. Guardar la masa entre 6 y 10 horas en el frigorífico. Añadir los ingredientes deseados para obtener las distintas variedades de panellets (piñones, café, coco...). Formar bolitas y hornearlas a 200 °C durante 3 o 4 minutos.

Tres horas después, Pepa sigue luchando con una masa pegajosa de almendra y patata. Y unas bolitas que nunca salen redondas.

—Dios, qué idea más estúpida —le dice a su gato—. ¿Qué hago yo aquí sola, haciendo unos pastelitos horribles que nadie quiere? Además, engordan mucho...

Por un momento piensa en llamar a su novio. Pero no, mejor no.

—¡Voy a terminar los *puñeteros*[34] *panellets*!

En ese momento suena el timbre. Suena varias veces.

—¡Ya voy, ya voy...! ¡Pero qué pasa, joder! ¿Hay fuego en la casa?

Es Armando, en pijama.

—Pepa... Tenemos un problema.

—¿Uno solo? Yo tengo muchos. Pasa, hombre, pasa... *¿Qué coño*[35] haces en pijama? Muy *sexy* no estás...

—La señora Montserrat. Vio otra vez fantasmas y me llamó.

—Dios...

—Vamos a su casa. Está muy nerviosa, la pobre.

—Pues venga, vamos. Espera que me lavo las manos.

—¿Qué hacés? ¿*Vos*[36] cocinás? —pregunta Armando al ver el caos en la cocina.

—Bueno, sí... No... A veces.

Cuando están bajando la escalera, se apaga la luz. Pepa busca el botón, pero parece que no funciona.

—Genial, el día de los muertos, hay fantasmas y ahora un corte de luz... —Pepa está cada vez de peor humor.

—Esperá, creo que tengo un encendedor por acá. A ver... Sí.

Con la luz del encendedor bajan dos pisos. Pero en el tercero, de pronto, se ven sombras.

—¿Has visto eso...? — dice Pepa con un poco de miedo.

Algo se mueve en el suelo. Armando no lo ve y tropieza con un bulto. El bulto se da la vuelta y tiene la cara de Chucky, el muñeco diabólico.

—¡Ahhhhhhh! ¡Tío, que me has pisado la mano!

Pepa, después del susto, reconoce la voz de Raúl.

—Pero... Raúl, ¿qué coño estás haciendo aquí con esa *pinta*[37]? Serás *gilipollas*[38]... ¿Tú sabes el susto que...?

—Es «*jalogüin*[39]», tía...

—Halloween, Raúl, Halloween —dice Armando pronunciando correctamente en inglés.

—Bueno, pues eso, «jalobín». Y quería hacerte una broma.

—Pues qué gracioso, *macho*[40]. Pareces un niño.

—¿Te vienes con unos colegas a comer castañas? Con esos pelos, tú no necesitas disfraz —se ríe Raúl.

—Para fantasmas ya te tenemos a ti. Bueno, y al del señor Ramón —le dice Pepa.

—*No jodas...*[41] ¿Se aparece el viejo? –ahora es Raúl el que está un poco asustado.

—Sí, ahora vamos a ver a la pobre mujer, que está muerta...

—¿Muerta? ¿También? Yo no quiero ver muertos, ¿eh? No me gustan nada los *fiambres*[42]. *Me dan mal rollo...*[43]

—Que está *muerta de miedo*[44], idiota. De miedo.

Casa de la señora Montserrat. 23.00 h.

—¿Te quitas la máscara o qué, Raúl?

—Sí, ya, ya...

La puerta del primer piso está abierta. Entran con la luz de los encendedores.

—¡Señora Montserrat! ¿Está ahí? —pregunta Pepa.

—Estoy aquí, aquí —la mujer sale a buscarlos al pasillo. Lleva una vela y va vestida de negro.

—Suerte que la conozco, señora Montserrat, que con esa vela y de negro parece... —comenta Raúl.

—Venga, ¿un poquito de moscatel y unos *panellets*? —con sus vecinos, la señora Montserrat está más tranquila. Y no quiere volver a estar sola—. Que hoy es el día de los muertos... ¡Ay, mi pobre Ramón! Y además, sin televisión —dice con un suspiro.

Toda la casa está a oscuras. Se sientan alrededor de la mesa y prueban los pastelitos.

—¡Qué ricos, señora Montserrat! ¿Los hace usted? —dice Armando siempre tan educado.

—No, los he comprado en la pastelería. Este año no estoy para cocinar.

—Pues están *ricos, ricos*[45]... —dice Pepa pensando en sus *panellets* a medio hacer.

De pronto, se oye un ruido raro.

—¿Qué es eso? —pregunta nervioso Raúl—. Parecen como... como... ¡cadenas! Los fantasmas llevan cadenas, ¿no?

—Sí, en las películas —responde Pepa. Es un coche que pasa, el camión de la basura...

—No, no, no, no, no es un camión. Raúl tiene razón. Son cadenas. En esta casa pasan cosas raras... —dice la señora Montserrat, contenta de compartir con alguien los misterios de su casa.

—¿Llamamos a la policía?

—No, a la *pasma*[46] no, eso no... —dice Raúl, que tiene terror a los uniformes. A los de los policías, a los de los médicos y hasta a los de los porteros.

Un par de minutos después, se oye música en la habitación de al lado. Es el despacho del señor Ramón.

—¿Escuchan eso? Carl Orff —dice Armando.

—¿Qué es eso?

—Un compositor alemán.. Y eso son los *Carmina Burana*, su obra más famosa.

—Pues es como de película de miedo... Da un poco de *yuyu*[47] — añade Raúl—. ¿A usted le gusta esa música, señora Montserrat?

—No, a mí no. Pero a Ramón sí.

—Y la pone para él...

—No, ¡es peor! La música se pone sola... Quiero decir que yo no he puesto el disco. Si estoy aquí con vosotros..., *tan ricamente*[48], ¿no?

—¿Y quién la pone entonces? ¿Aristóteles, que es tan inteligente...? —Raúl busca una respuesta tranquilizadora.

—No, cada noche se oye esta música en el despacho de Ramón. Y está también lo de la pipa.

—¿Qué pipa?

—La pipa de Ramón, que se enciende sola, todas las noches desde el día de su muerte. Ahora ya me creéis, ¿no? Voy al despacho o a la cocina y ahí está la pipa, encendida.

Nadie sabe qué decir. ¿Está loca la pobre viuda? ¿Existen de verdad los fantasmas? De repente, la música para y vuelve la luz. Todos respiran un poco.

—Pepa, guapa, ¿puedo pedirte un favor?

—Sí, claro, naturalmente...

—¿Puedes quedarte a dormir aquí esta noche...? Tengo un poco de miedo.

—Sí, claro, cómo no... —dice Pepa—. Yo no veo películas de terror, como este —añade, señalando a Raúl.

—Pues nada. Nosotros ya nos vamos... —dice Raúl, que quiere salir corriendo.

—¿Y Aristóteles? —pregunta Armando.

—Seguro que está en la cama con Ramón... de Ramón, quiero decir... Como lo quiere tanto... Bueno, lo quería...

Pero Aristóteles no está en casa. Cuando se ha ido la luz, ha aprovechado para salir y ha subido al tercer piso. Ahí es donde viven Miguel y Alonso, dos traviesos hermanos gemelos de siete años.

—¿Y si disfrazamos a Aristóteles? ¡Es Halloween! —dice uno de los gemelos al ver al perro en la escalera.

—¡Síiii! —responde el otro—. Vamos a mirar en la caja de los disfraces.

En veinte minutos el perro ya no parece un murciélago: ahora es Batman, con pelo y cola. Por suerte, consigue escapar de sus secuestradores, los gemelos, y baja aterrorizado por la escalera. En ese momento sale Raúl.

—¡Otro fantasma! ¡Otro fantasma! ¡Joder, esto es una casa de locos! Yo *me abro*[49] —y sale corriendo al oír el gruñido de Aristóteles.

Armando, tras el primer susto, reconoce la cola de Aristóteles debajo de la capa de Batman.

— ¿Vos también celebrás Halloween? —se agacha y coge al perro en brazos—. Vení Aristóteles, que te llevo a casa con tu dueña.

1 de noviembre. 00.30 h.

La verdad es que Pepa está un poco nerviosa. No cree en fantasmas, pero ha sido una noche muy extraña. Da vueltas en el sofá-cama que la señora Montserrat le ha preparado. Pero no puede dormir, y se levanta. Va al salón y se sirve una copita de vino moscatel.

El tema de la música misteriosa le interesa. Sin hacer ruido, entra en el despacho del señor Ramón. Hay un tocadiscos, pero no hay ningún disco. Mira un poco por toda la habitación. «¿Qué buscas, gilipollas?», se pregunta a sí misma. Pero siente que en esa habitación hay algo. Un misterio que ella puede explicar. Y de pronto lo ve: un pequeño aparato encima de un cuadro. Es realmente muy pequeño. Un reproductor de mp3 o algo parecido.

«Algo muy pequeño, pero que suena muy alto y que seguramente va con un mando a distancia», piensa Pepa. «¿Quién ha puesto esto aquí?». Y entonces piensa en los hombres del taxi. Y en lo que han dicho en el taxi: «El problema es la vieja del primero.» Pepa lo recuerda claramente.

1 de noviembre. 10.30 h.

El olor de la cafetera de la señora Montserrat despierta a Pepa. Se levanta y va a la cocina. La señora Montserrat ha preparado el desayuno: cruasanes, pan, *La Vanguardia*[50]...

El desayuno ideal de un día festivo.

—Buenos días, Pepa.

—Buenos días, señora Montserrat.

—¿Has dormido bien?

—Sí, gracias. Especialmente después de encontrar esto —Pepa le enseña el pequeño aparato.

—¿Y eso qué es?

—Pues de aquí sale la música, los *Carmina Burana*.

La señora Montserrat mira el aparato sin entender.

—Señora Montserrat, alguien quiere asustarla. Es un montaje. No hay fantasmas. Con este aparato ponen música... La música de Ramón.

—Pero, pero... ¿Quién? ¿Por qué?

—Tranquila. Creo que yo sí lo sé. Pero necesito un par de días.

A mitad del desayuno, suena el timbre.

—Ah, es mi sobrino, Ariel, que viene a verme. Es muy guapo...

La señora Montserrat entra de nuevo en la cocina acompañada de un hombre de unos treinta años. Tenía razón: es muy guapo.

—Ariel, esta es Pepa, mi mejor vecina. Y la más valiente...

—Je, je, je... —ríe Pepa, que no sabe qué decir. Lleva ropa arrugada de dormir, el pelo de punta y no se ha lavado los dientes. ¡Y ahí, de pie, frente a ella una especie de Brad Pitt que le tiende la mano! «Y yo, horrible...», piensa.

—Hola, qué tal.

—Muy bien, muy bien —dice Pepa. Y piensa: «No tan bien como tú, *tío bueno*[51].»

Ariel se toma un café y los tres comentan los misterios de la casa. La señora Montserrat los deja solos un rato y Pepa le explica a Ariel lo que sabe. De momento no quiere explicarle su teoría a la señora Montserrat.

—Sí, tienes razón, esos tíos parecen peligrosos —responde Ariel—. Yo soy abogado, ¿sabes? Quieren el piso de mi tía. He hablado dos veces con ellos. Quieren el edificio entero a cualquier precio. Y mi tía no quiere irse. ¡Es su casa! ¡Ha nacido en esta casa!

—Pero... ¿Por qué tanto interés por esta casa? ¡Hay muchas casas en venta en Barcelona! Después de la crisis inmobiliaria...

—Sí, es verdad. No se entiende.

—¿Y qué podemos hacer?

—Esperar, tenemos que esperar... Y vigilar. Oye, por cierto, muchas gracias por todo. Gracias por estar con mi tía. Yo me voy a quedar unos días con ella, aquí, en su casa...

—Perfecto —dice Pepa. Y piensa: «Qué bien, qué bien... Se queda unos días. ¡Somos vecinos!»

—¿Cenamos una noche de estas? —pregunta Ariel.

—Sí, ¡claro! Quiero decir que... Buena idea... Sí, y hablamos de... de... de tu tía y su piso —Pepa se ha puesto nerviosa y piensa: «¡Qué ridícula estoy cuando me gusta un tío!»

2 de noviembre. 08.00 h.

Un ejecutivo estresado, que habla constantemente con el móvil, coge el taxi en la *Diagonal*[52].

—Muntaner, 367.

No dice «hola», ni «buenos días». «Otro que piensa que el taxi es solo un coche. Hoy el tráfico está fatal. Claro, después de un día de fiesta...», piensa Pepa mientras conduce lentamente a través del *Ensanche*[53]. Hace buen tiempo, el cielo está azul, y escucha buena música: el piano maravilloso de *Bebo Valdés*[54]. Se siente bien.

—Doce euros —dice Pepa cuando llegan al destino.

El cliente paga sin decir nada. No dice adiós y baja con el móvil pegado a la oreja.

Pepa pone la señal de «libre» y baja por la calle Muntaner. A pocos metros, un hombre para el taxi.

—A la calle Bonavista, en Gracia.

—Sí, conozco esa calle.

«Mira, me lleva a mi casa», piensa Pepa, divertida. La cara del pasajero *le suena*[55]. «¿Quién es? ¿Lo conozco?», se pregunta. «¡Síiiiiii, claro...! ¡Es uno de los hombres que quieren comprar el piso de la señora Montserrat!» El hombre hace una llamada y Pepa escucha con mucha atención.

— ¿Bernardo? Sí, mira... Voy a Gracia. Sí, eso. A preparar el siguiente *numerito*[56]. A ver qué dice ahora la vieja.

«¿El siguiente numerito? ¿La vieja?... ¿Qué significa todo esto?», se pregunta Pepa mientras observa al hombre por el retrovisor. Está preparando algo: en las manos tiene una pequeña maleta negra y saca un bigote, unas gafas, una pipa...

En unos minutos están frente al portal de Pepa. Pepa deja al pasajero y aparca en un lugar prohibido. No importa. Ahora lo más importante es seguir al hombre de la maleta. Este ha entrado en el portal, y Pepa entra también. No ve a nadie, pero oye ruidos en el cuarto de los contadores, una pequeña habitación al lado del ascensor. «¿Es el hombre de la maleta negra?» Pepa se esconde detrás de los cubos de basura. Se abre la puerta del cuartito y sale... ¡¡¡El señor Ramón!!! Bueno, no, el doble del señor Ramón. Con sus gafas, su bigote blanco, su pipa... Pepa empieza a entenderlo todo.

El hombre empieza a subir. No ha visto a Pepa. Pepa busca su móvil y llama a sus amigos.

— ¡Raúl, rápido, ven a mi casa, al portal!

— Tía, qué pasa. ¡Qué prisas! Estoy aquí, en el bar, con unos colegas tomando el aperitivo. Unas cañas, unas tapitas...

—¿El aperitivo? Que son las doce... Es muy pronto para el aperitivo.

—Es que yo hago *horario europeo*[57].

—¡Ni horario europeo *ni leches*[58]! —dice Pepa, nerviosa, intentando no gritar—. Ven ahora mismo. Es un asunto de vida o muerte.

—Sí, hombre, encima. No quiero hablar de muertos. Y menos en tu casa. *¡Qué nochecita hemos pasado!*[59] Menudo «jalobín».

—Halloween... Se dice Halloween. Bueno, no importa. Te espero. Ahora. Y pasa a buscar a Armando.

A Pepa se le ocurre un plan. ¿Quieren sustos? Pues los van a tener. Suben rápido por las escaleras hasta su casa, al ático. La masa de los *panellets* sigue en la mesa de la cocina. La motosierra de broma de Raúl y la máscara de Chucky también. Se pone masa de panellets por la cabeza. Con el pelo tieso el efecto es terrorífico. Baja las escaleras hasta el primero. Hay suerte, la puerta no está cerrada. Aparece Aristóteles, que mueve la cola al reconocer a Pepa. Pepa entra y avanza lentamente por el pasillo. Quiere asustar al falso fantasma. Pero lo que le espera en el salón la *deja helada*[60]: ¡el falso señor Ramón y la señora Montserrat están hablando tranquilamente!

—Entonces... ¿café o té? —pregunta ella—. Ya sabes que a esta hora el café te sienta mal... Tomas demasiado café. De acuerdo, los fantasmas seguramente no tienen problemas de estómago. Pero tanto café no es bueno. Ni para los fantasmas.

El falso señor Ramón no dice nada. ¿Los fantasmas no hablan? Pepa decide actuar. Entra en el salón y pega un grito aterrador. En ese momento llegan Armando y Raúl. Y también gritan al ver a la Pepa-Chucky y al señor Ramón. O a su fantasma. El falso señor Ramón cae al suelo. Montserrat, ha empezado a sacar platos de un mueble y se los tira a la Pepa-Chucky.

—Señora Montserrat, soy yo, Pepa —dice intentando sacarse la máscara. Pero la máscara se ha pegado con la masa de almendra y no es fácil.

Aristóteles muerde ferozmente la pierna de Raúl y este también grita. Los dos gemelos del tercero también han bajado.

— ¡Qué *guay*[61]! ¡Qué divertido! —dicen, y se sientan felices en el sofá a ver el espectáculo.

Por fin todo el mundo se calma un poco. El hombre de la maleta sigue en el suelo.

—Llamo a una ambulancia —dice Armando.

—Yo sé hacer masaje cardíaco —dice Raúl—. Aprendí en la *mili*[62].

—No, deja, deja... *No la líes más.*[63] Que lo rematas. ¿Respira? —pregunta Pepa.

Ya se oye cerca la sirena de la ambulancia y la de un coche de policía. Alguien de la calle ha llamado a la policía. Loli ha escuchado los gritos y también llega al piso.

—Pero Pepa, ¿qué te has hecho en el pelo? Yo te he hecho un alisado *monísimo*[64]. Es que no te cuidas nada, siempre te lo digo...

—Loli, vamos a dejarlo, ¿eh? No es el momento.

Han llegado un médico y dos enfermeros. El médico se ocupa del falso señor Ramón.

—Señora, no es grave —le dice el médico a la señora Montserrat—. Su marido se ha desmayado... ¿Tiene problemas del corazón? ¿Toma algún medicamento?

—Sí, no, sí... Bueno, doctor, es que... No sé si es mi marido, ¿sabe? Pero... ¿está vivo? ¿Seguro, seguro...? Usted puede saber si es mi marido, ¿no? Como en la tele, digo, con el ADN y esas cosas. Bueno, claro que a lo mejor los fantasmas no tienen ADN... Como están muertos...

Como siempre, la señora Montserrat habla y habla y habla. Ella pregunta, ella responde. El médico no entiende nada. Nadie entiende nada.

Mientras, un policía interroga a Raúl.

— ¿Dice usted que es un «cazafantasmas»...? —pregunta el policía. Tampoco entiende nada.

—Sí, señor, exactamente. En esta casa hay fantasmas. Bueno, ahora ya no. Porque... lo hemos cazado.

El policía tampoco entiende nada. Pero Raúl se siente como un superhéroe. «Sí, definitivamente, cazafantasmas es mejor profesión que paseador de perros», piensa.

Mientras, Pepa se lo explica todo a la señora Montserrat y a Armando.

—Pues qué pena... —dice la señora Montserrat—. He estado hablando con el fantasma, y parece simpático. No es Ramón, pero...

En medio de este lío, aparece Ariel, el sobrino guapo de la señora Montserrat. Pepa lo ve entrar y, automáticamente, se toca la cabeza... «¡Y yo con estos pelos!», piensa. «Después de esto no me invita a cenar. Seguro.»

También le explica la historia a Ariel: Pepa ha encontrado al hombre, lo ha visto disfrazarse en la escalera y lo ha seguido. Después... Todo se ha complicado un poco.

Armando le dice a Pepa, cuando están ya más tranquilos:

—Pepa tenés que ducharte... Ariel tiene que hablar con la *poli*[65]. Y después, ¿por qué no vienen todos ustedes al bar? Tengo un *asado argentino*[66] buenísimo en la parrilla.

—Ok. ¿Todo el mundo de acuerdo? Nos vemos en el bar de Armando dentro de una hora —dice Pepa.

Todos aceptan encantados. Un buen asado y unos vinos argentinos ahuyentan a todos los fantasmas.

37

3 de noviembre. Por la mañana.

Pepa sale de casa a las once. Ha dormido mucho pero todavía está cansada. Han sido unos días muy estresantes. En la entrada encuentra a la señora Montserrat, que llega del mercado con su carrito de la compra.

—Hola, Pepa. ¡Qué caro está todo en el mercado, Dios mío! ¡Y cómo pesa este carro! Y es solo comida para mí. Bueno, y para Aristóteles... Ah, una cosa importante... Espera un momento... A ver, aquí en el bolso... Sí, mira, quiero enseñarte esto. Lo he encontrado en el salón de mi casa.

Montserrat le da a Pepa un CD. En la caja pone: «Calle Bonavista, 5».

—No es mío. Yo no entiendo nada de ordenadores. Ni de discos de estos. Alguien lo ha perdido. ¿Tú puedes mirar qué es? ¿O de quién es?

—Claro. Subo a casa y lo miro ahora mismo.

Pepa tiene muchas ganas de ver qué hay en el CD. Es algo del edificio porque pone la dirección, Bonavista,

5... Pueden ser pistas sobre el misterio de la escalera, la extraña empresa inmobiliaria y sus juegos terroríficos de fantasmas.

Sube las escaleras de dos en dos y se sienta frente al portátil. Examina el contenido del disco: son unos planos, como de un arquitecto. Pepa los mira con atención. Al principio no entiende nada, pero luego ve que es un plano de la entrada: el portal, la escalera, el cuartito de los contadores... ¿Qué es esto? ¡Qué raro! En color rojo está señalada una zona.

—A ver... Esta parte roja, ¿qué es? —Pepa piensa en voz alta—. Esto es la puerta, esto el cuarto de los contadores, esto la escalera y... ¡Entonces esto es el ascensor, el hueco del ascensor! ¿Por qué les interesa el ascensor? ¿Qué hay en un viejo ascensor de una vieja casa? «Tengo que llamar a Ariel y explicarle esto», piensa Pepa. «¿O es que busco una excusa para verlo?», se pregunta después.

Finalmente decide ir a trabajar un rato. Un taxista que se queda en casa *no gana un duro*[67]. Y Pepa quiere irse al Caribe en enero. Va a buscar el coche a la Plaza del Sol. Raúl está durmiendo la siesta en su caseta. Cuando pasa a su lado, Raúl se despierta.

—Tía, ¿qué pasa? ¿No saludas o qué? ¿Te vas a *currar*[68]?

Pepa no tiene muchas ganas de hablar con él.

—Sí, me voy a currar. Que hoy no he ganado ni un duro.

—Pues hasta luego.

Pepa sale por las pequeñas calles hasta Gran de Gracia, la calle principal del barrio. Es una calle comercial y siempre suele haber gente que busca taxi. En un par de minutos ya ha puesto el cartel de «ocupado». Es un norteamericano que quiere comer paella.

Pepa le propone llevarlo al puerto y cruza Barcelona. En la *Barceloneta*[69] lo deja en El suquet de l'Almirall, donde hacen los mejores arroces de pescado de Barcelona. No es exactamente paella, pero están buenísimos. Intenta explicarle al norteamericano la diferencia entre una paella y un *arroz caldoso*[70], pero al final lo deja. Demasiado difícil.

—Ya verá, el arroz aquí está delicioso.

El americano le deja una propina fantástica. «Si sigue así el día... A lo mejor puedo invitar a Ariel a tomar un arroz en este restaurante. Una cena romántica, junto al mar...», piensa Pepa. Está claro que le gusta Ariel.

Trabaja seis horas y vuelve a casa. Tiene hambre y no ha comido nada en todo el día.

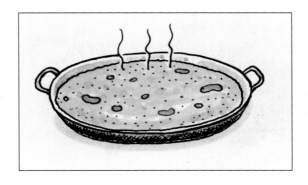

3 de noviembre. 16.00 h.

Al entrar en el portal, oye un ruido muy fuerte. La madre de los gemelos, Laura, sale en ese momento.

—¿Qué pasa? –le pregunta Pepa.

—No sé, chica, en esta escalera, hay mucho ruido últimamente.

—Pues sí —responde Pepa pensando en la noche anterior.

—Creo que están arreglando el ascensor o algo así.

A Pepa *algo le huele mal*[71]. Están trabajando exactamente en la zona marcada en rojo en el plano. Decide esperar un poco y observar. Se sienta en la escalera, en una parte con poca luz. Si pasa alguien, puede decir que le duele un pie o algo así. A los cinco minutos, llega un hombre con un traje gris. «¡Es uno de los mafiosos de la calle Muntaner!», piensa Pepa al reconocerlo.

Se para delante del ascensor. En la puerta hay un cartel: «No funciona». Pero el hombre abre la puerta. El ascensor está entre la planta baja y el *entresuelo*[72].

—Manolo... –dice el hombre del traje gris.

Enseguida saca la cabeza otro hombre. Va vestido de obrero de la construcción, con casco y todo.

—¿Qué? ¿Cómo vamos, Manolo?

—De momento, nada, señor Martínez. Piedra, piedra y piedra...

—Tiene que estar ahí. Recuerda: es una caja metálica no muy grande. Lo dice la carta.

Pepa intenta entender lo que dicen: «¿Una caja metálica? ¿Una carta...? ¿De qué hablan? Una cosa está clara: no están arreglando el ascensor. Esto tiene relación con los fantasmas, con la inmobiliaria... Esta gente busca algo importante. Tengo que llamar a Ariel.» Pepa sale de su rincón en la escalera y, al pasar al lado de Martínez, saluda de forma totalmente natural.

—Buenas tardes.

El hombre no responde. Parece preocupado.

Pepa sale corriendo hacia el párking. Necesita su coche rápido. Esos hombres viajan siempre en taxi y si pasa, casualmente, por la calle Bonavista...

En el párking Raúl le pregunta:

—Chica, ¿vuelves a salir?

—Sí, una urgencia —y sale del párking como un piloto de Fórmula 1.

—Niiiiiña, que pareces Fernando Alonso... —dice Raúl, pero Pepa ni lo oye.

Por suerte, cuando llega a la calle Bonavista, el hombre sale del número 5.

«Este tío es tonto», piensa Pepa. «Lo he llevado tres veces ya y no me conoce.»

Naturalmente no dice «buenas tardes». Solo gruñe:

—Muntaner, 367.

Inmediatamente saca el móvil y hace una llamada.

—¿Ariel?

«¿Cómo? ¡No puede ser...!», piensa Pepa. «¿Ariel? ¿Ariel está en esto? No me lo puedo creer... Pero no hay muchos Ariel en España.»

Pepa escucha atenta el resto de la conversación.

—Sí, ya sé, tienes la carta de tu bisabuela *republicana*[73] desde el exilio en París... Sí, la he leído tres veces: ¡todas las joyas de la familia tienen que estar debajo del ascensor! Pero, lo siento, chico, no salen. Hay que seguir buscando, pero los vecinos preguntan... Que qué hacemos, que si va a durar mucho el ruido, que por qué picamos... Te llamo luego, ¿*vale*[74]?

Está claro que Pepa no puede llamar a Ariel para explicarle el misterio de los planos.

Bar de Armando. 3 de noviembre. 19.00 h.

—Armando, tienes que ayudarme. Bueno, primero ponme una caña.

—¿Qué tenés?

—Es largo de explicar.

Pepa se lo cuenta todo a Armando: lo del CD con los planos que encontró la señora Montserrat , lo de las obras del ascensor y la conversación que ha oído en el taxi.

—Elemental, mi querida Pepa —dice Armando, imitando a Sherlock Holmes.

—¿Tú lo entiendes?

—Perfectamente.

—Pues explícate, tío.

—La señora Montserrat me contó muchas veces la historia de su familia. Los Picornell, una familia de industriales de Barcelona. Industriales ricos, pero... ¡republicanos!

Un poco antes de terminar la Guerra Civil, con el ejército de Franco a las puertas de Barcelona, los Picornell huyen, pasan la frontera y se refugian en Francia, como otros muchos republicanos.

—Y dejan aquí las joyas.

—Sí, seguro.

—Y las joyas están debajo del ascensor.

—Supongo que sí.

—Pues hay que encontrarlas. Son de la señora Montserrat. Y Ariel no quiere esperar para heredarlas. ¿Puedes venir a mi casa esta noche? ¿A las once?

—Sí, no te preocupés. Contá conmigo.

—Voy a llamar también a Raúl.

Calle Bonavista. 23.00 h.

—Pepa, qué bien que nos invitas a cenar... ¿Es tu cumpleaños o algo?

—Bueno... Cenar, cenar... Vamos a cenar más tarde.

—Pues yo tengo un hambre... Estoy con un bocadillo de atún desde esta mañana...

Pepa saca del cuartito de los contadores un casco, un mono de trabajo azul y un pico.

Raúl la mira horrorizado.

—Pero, tía, ¿qué quieres hacer? A estas horas... Y además, a mí, el trabajo manual... Vamos, que no *es lo mío*[75].

—¡No, claro! Lo tuyo es la filosofía... —dice Pepa irónicamente—. Pero hoy nos vas a ayudar. Tú eres el más fuerte de los tres, ¿no?

Raúl, finalmente, acepta ponerse debajo del ascensor.

—Mierda... ¿Y si esto se cae? No sé, me da mal rollo. ¿Y si hay ratas?

—Que no, que no, que el ascensor no se cae.

Pepa y Armando iluminan con linternas y controlan la entrada.

Al cabo de unos minutos, Raúl dice:

—Aquí hay una caja, parece una caja muy vieja, de metal...

—¡Bingo! —grita Pepa.

—*Che*[76], entró alguien... —dice Armando—. Apagá la linterna, Pepa.

Es Ariel. Pepa lo reconoce enseguida.

Ariel enciende la luz de la escalera. Mira con preocupación a los tres amigos. Especialmente a Raúl, que saca la cabeza del hueco del ascensor.

—¿Qué hacéis aquí?

—Lo sabes perfectamente.

—Mi tía no tiene que saber nada de esto.

—Sobre todo, tiene que saberlo la policía. ¿Les vas a explicar también tu juego de fantasmas? Claro, tú puedes entrar y salir de aquí siempre sin problema. ¿Cómo no lo he pensado antes? ¿Y la carta? Es un viejo documento de familia, supongo.

Mientras, Armando ha sacado el móvil y está llamando a los *Mossos*[77].

—Ya vienen para acá.

Raúl intenta salir sin éxito del agujero. Tiene en las manos una vieja caja metálica, como las de los bancos.

—Tíos, ¿me ayudáis o qué? Ahora ya nos podemos ir a cenar, ¿no?

—Sí, hablamos con la poli, les damos la cajita, y os invito a cenar. Un arroz en la Barceloneta. En El suquet del Almirall. ¡Nos lo hemos ganado!

«¡Qué pena! ¡Con lo guapo que es...!», piensa Pepa mirando por última vez a Ariel.

Notas explicativas

 Palabra o expresión vulgar.

 Palabra o expresión coloquial.

1. **Licencia.** El número de taxis en España está controlado por cada ayuntamiento. Las licencias de taxi se traspasan y valen mucho dinero.

2. **Fashion.** Palabra de origen inglés que se usa para decir «moderno».

3. **Look.** Palabra de origen inglés que se usa para decir «imagen».

4. **Ligar.** Empezar una relación amorosa o sexual pasajera.

5. **Y qué coño.** En este contexto, siginifica «¿Por qué no?»

6. **Ser un plomo.** Ser aburrido, pesado. Se aplica a personas.

7. **Tía.** mujer, chica.

8. **Gracia.** Barrio de Barcelona donde vive Pepa.

9. **Que en paz descanse.** Fórmula tradicional para referirse a una persona muerta.

10. **Joder, qué fuerte.** expresión de sorpresa ante algo desagradable. «Joder» es una exclamación muy frecuente con muchos valores: sorpresa, enfado, impaciencia, etc.

11. **No somos nada.** Lugar común que se emplea ante una muerte, una enfermedad o una desgracia.

12. **Linda.** guapa. Es frecuente en el español de Latinoamérica.

13. **Decís.** En algunas zonas de Hispanoamérica, como Argentina, la segunda persona del singular del Presente de Indicativo tiene unas formas particulares.

14. **Sos.** «Eres», en Argentina y algunas zonas de Hispanoamérica.

15. **Acento porteño.** Acento de Buenos Aires.

16. ⟨⟩ **Chungo.** Malo.

17. **Alcalá Meco.** Prisión española situada en la Comunidad Autónoma de Madrid.

18. ⟨⟩ **Talego.** Cárcel o prisión.

19. ⟨⟩ **Camello.** Persona que vende droga directamente a los consumidores.

20. ⟨⟩ **Ser un tarado.** Ser un estúpido; muy usado en Argentina y Uruguay.

21. ⟨⟩ **Palmar.** Morirse.

22. ⟨⟩ **Movida.** Situación, lío, problema.

23. ⟨⟩ **(Tener) mala leche.** Ser agresivo, tener mal carácter.

24. **(Vagar) como un alma en pena.** Como un muerto entre los vivos, como un alma del purgatorio.

25. ⟨⟩ **Cabrón.** Insulto muy usual.

26. ⟨⟩ **(Ser un) fantasma.** Persona poco seria, poco fiable.

27. **Carajillo de Torres.** El carajillo es café con coñac o anís. Es una bebida muy popular en España, que se toma después de comer, o incluso por la mañana. Torres es una marca de coñac.

28. ⟨⟩ **Y dale con...** Se usa para rechazar la insistencia de alguien. Aquí, la Señora Montserrat no quiere una interpretación «psicológica» de su problema.

29. **Barça.** Fútbol Club Barcelona. Equipo de fútbol de esta ciudad.

30. **Castañas, boniatos y panellets.** Productos que se toman tradicionalmente el día de Todos los Santos en Cataluña. La castañas y los boniatos (un tipo de patata dulce) se asan. Los *panellets* son unos pastelitos de almendra, muy parecidos a los del norte de África.

31. **La Boquería.** Es un gran mercado de comida situado en La Rambla.

32. **Llegaron recién.** «Acaban de llegar» en variante argentina.

33. **Mejor solo/a que mal acompañado/a.** Refrán español.

34. ⟨⟩ **Puñetero/a/os/as...** Calificativo que se une a algo que no nos gusta o que nos molesta. Aquí Pepa está harta de preparar los *panellets*.

35. ⟨⟩ **¿Qué coño...?** Expresión muy usual que puede combinarse con muchas preguntas, por ejemplo, «¿Qué coño dices/haces/quieres...?» Manifiesta sorpresa, enfado, impaciencia, etc.

36. **Vos.** Forma usada en Argentina y en otros lugares de Hispanoamérica para decir «tú».

37. 💬 **Pinta.** Aspecto.

38. 🗨 **Gilipollas.** Insulto muy corriente que significa «estúpido».

39. 💬 **Jalogüin.** Raúl, como muchos españoles, pronuncia muy mal el inglés. Quiere decir Halloween.

40. 🗨 **Macho.** Vocativo frecuente para dirigise a un hombre.

41. 🗨 **No jodas.** Aquí, expresión para manifestar sorpresa.

42. 💬 **Fiambres.** Cadáveres. El fiambre es carne o pescado preparado para comer frío.

43. 💬 **(Dar) mal rollo.** No gustar, dar miedo.

44. **(Estar) muerto/a de miedo.** Tener mucho miedo.

45. **Rico, rico.** Dicho de la comida, significa que está sabrosa. Expresión muy difundida en España por un cocinero muy popular que aparece en la televisión.

46. 🗨 **La pasma.** La policía.

47. 💬 **(Dar) yuyu.** Dar miedo, muchas veces relacionado con la muerte o algo paranormal.

48. **Tan ricamente.** Tan a gusto.

49. 💬 **Me abro.** Me voy.

50. **La Vanguardia.** Periódico editado en Barcelona.

51. 💬 **Tío/a bueno/a.** Se aplica a alguien guapo, con buen tipo.

52. **Diagonal.** La avenida Diagonal es una de las calles más largas de Barcelona. Allí se encuentran muchas oficinas, bancos, comercios, etc.

53. **Ensanche.** Parte del centro de Barcelona construida a finales del siglo XIX y principios del XX.

54. **Bebo Valdés.** Pianista de jazz cubano.

55. 💬 **Le suena.** Cree recordarlo.

56. **Numerito.** Despectivamente, *show*, espectáculo.

57. **Horario europeo.** En España, respecto a los otros países europeos, se come más tarde, se empieza y se sale del trabajo más tarde, etc. Aquí es irónico.

58. 🗨 **Ni leches.** Expresión usada para enfatizar una frase negativa.

59. 💬 **Qué nochecita hemos pasado.** Qué mala noche hemos pasado.

60. **Dejar helado/a (a alguien, algo).** Causar una gran sorpresa.

61. ⚲ **Qué guay.** Expresión infantil o juvenil. Equivale a «qué bueno/a» o a «qué bien».

62. ⚲ **Mili.** Abreviatura frecuente de «servicio militar».

63. ⚲ **No la líes más.** No compliques más la situación.

64. **Monísimo.** Superlativo de «mono». Bonito. Es una expresión más usada por las mujeres que por los hombres.

65. ⚲ **Poli.** Abreviación frecuente de «policía».

66. **Asado argentino.** En Argentina hay una carne de gran calidad; la carne asada al fuego es uno de los platos más típicos de este país.

67. **No ganar un duro.** No ganar nada de dinero.

68. ⚲ **Currar.** Trabajar.

69. **Barceloneta.** Es el antiguo barrio de pescadores de Barcelona. Está entre el puerto y la playa y hay muchos restaurantes especializados en pescado, mariscos y paellas.

70. **Arroz caldoso.** En España existen muchas maneras de preparar arroz. En las paellas el arroz se sirve seco y en los arroces caldosos con caldo.

71. ⚲ **Algo le huele mal.** Algo le parece poco claro, sospechoso.

72. **Entresuelo.** En muchos edificios de viviendas, el primer nivel, entre la planta baja y el primer piso, se llama entresuelo.

73. **Republicana.** En la Guerra Civil español se enfrentan los republicanos, que defienden la República frente a los nacionales, que apoyan el levantamiento militar del General Franco. Muchos de los republicanos, como la familia de la Sra. Montserrat, tuvieron que exiliarse.

74. ⚲ **Vale.** De acuerdo.

75. **Es lo mío.** Expresión para referirse a un tema o habilidad que uno domina o que a uno le gusta especialmente.

76. ⚲ **Che.** Vocativo muy usado en Argentina y otras zonas de Hispanoamérica.

77. **Mossos.** Los Mossos d'Escuadra son la policía autonómica catalana.

49

Actividades

En todas las lenguas se puede decir lo mismo de muchas maneras diferentes. Cómo decimos o escribimos algo depende de muchos factores: con quién estamos hablando (el grado de confianza y jerarquía), en qué situación estamos, cómo nos sentimos, etc. No hablamos igual en una entrevista de trabajo que en un bar con nuestros amigos. No hablamos igual con el profesor que con nuestra pareja. Hablamos de manera diferente con un policía o con un desconocido cuyo coche acaba de chocar con el nuestro.

Cuando aprendemos una lengua extranjera, tenemos que ir aprendiendo también a distinguir los diferentes registros: cuándo se puede o no se puede usar cierta expresión o palabra, en qué tipo de relación suele usarse, etc. En general, en una lengua extranjera es muy difícil usar adecuadamente el lenguaje coloquial o vulgar. ¡Y los errores de este tipo son muy graves! Usar un registro inadecuado puede crear muchos malentendidos o dar una imagen falsa de cómo somos o de qué queremos expresar.

De momento, con la lectura de esta serie y realizando estas actividades, puedes empezar a reconocer algunas formas muy típicas de lenguaje coloquial o vulgar del español peninsular. Vas a tener un primer contacto con el uso y el significado de expresiones y palabras que los españoles usan mucho, pero que no suelen estar en las clases de idiomas.

1 Compara los siguientes pares de frases. Marca a qué tipo de registro corresponde cada una: neutro (N) o coloquial/vulgar (C/V). ¿En qué lo has notado?

N   C/V

1.

a. ¡Qué gilipollas es Leo! ¿Has oído lo que me ha dicho el tío? ☐ ☒

b. ¡Qué estúpido es Leo! ¿Ha oído lo que me ha dicho? ☒ ☐

2.

a. Y entonces llega Feli, con un chico muy atractivo... ¡Y su ex novio allí, como un tonto! ☒ ☐

b. Y entonces llega Feli, con un tío que estaba buenísimo... ¡Y su ex novio allí, como un gilipollas! ☐ ☒

3.

a. ¿Sabes que Julio y Berta ya no salen? No jodas, ¿de verdad? ☐ ☒

b. ¿Sabes que Julio y Berta ya no salen? No me digas, ¿de verdad? ☒ ☐

4.

a. Mis hermanos me han regalado un viaje a Cuba. ¡Qué guay! ☐ ☒

b. Mis hermanos me han regalado un viaje a Cuba. ¡Qué bien! ☒ ☐

5.

a. Hoy hemos currado mucho... Unas diez horas. ☐ ☒

b. Hoy hemos trabajado mucho... Unas diez horas. ☒ ☐

6.

a. ¡Qué noche he pasado! El niño ha tenido mucha fiebre esta noche. Está enfermito, el pobre. ☒ ☐

b. ¡Qué nochecita he pasado! El niño ha tenido mucha fiebre esta noche. Está chungo, el pobre. ☐ ☒

7.

a. Déjame hablar a mí con Ramón del puñetero contrato. ☐ ☒
A ver si solucionamos esta movida.

b. Déjame hablar a mí con Ramón del contrato. A ver si ☒ ☐
solucionamos este asunto...

2 Lee estas frases. En ellas hay palabras o expresiones coloquiales
o vulgares. Márcalas.

1. ¿Elvira? Es una tía muy agradable.

2. ● Manolo es un tío muy superficial. Solo piensa en ligar.

○ Un fantasma, vaya...

3. Joder, qué fuerte... ¿Has leído esto? Uno de cada diez jóvenes
japoneses es adicto a la tecnología. Da yuyu pensarlo, ¿no?

4. El profesor de informática es un plomo. ¡Qué clases tan aburridas!

5. Alba se ha quedado en paro, y no tiene un duro... Va a ser una
época muy chunga.

6. Tía, a ver si nos vemos... Salimos a tomar algo y a hablar un rato,
¿no?

7. En la empresa ha habido una movida muy rara. Han despedido al
director financiero. Parece que era un fantasma...

8. El vecino del 3.º tiene muy mala leche. Si oye ruido a partir de las
22 h, llama a la policía.

9. Macho, ¿qué coño quieres a estas horas? Son las 2 h de la madrugada.

10. Yo no puedo estar mucho rato en un ascensor. Me dan mal rollo
los espacios cerrados.

3. Lee estos textos, compáralos y subraya las diferencias. ¿Cuál es menos formal?

A. El novio de Tania es un cabrón. Cada vez que ella sale con amigos, le monta un numerito. Es superceloso y tiene muy mala leche. Un día ella tuvo que llamar a la poli... ¡Qué fuerte!¿No? Yo le digo: esta relación no te conviene. Mejor sola que mal acompañada. Pero ella es una gilipollas... No ve que Andrés es un cabrón. A mí es que estas movidas me dan muy mal rollo, tía. El otro día, por ejemplo: estamos en un bar, tomando unas cañas, después de currar, Tania, Jessica y yo... Entra él y le dice: «¿Qué coño haces aquí?». Y ella se levanta y se va con él... Y yo le digo: «el mundo está lleno de tíos buenos». ¿Por qué aguantas estas movidas?».

B. El novio de Tania es un individuo violento. Cada vez que ella sale con amigos, siente celos y la presiona. Es posesivo y agresivo. Un día ella tuvo que pedir ayuda policial... La situación es grave. Le he comentado que esta relación no le conviene y que debería estar sola un tiempo. Pero ella es ingenua y está confusa. No ve que Andrés es un hombre violento. Me preocupa su situación. El otro día, por ejemplo, en un bar, después del trabajo, estábamos Tania, Jessica y yo... Entró él y le gritó. Y ella se levantó y se fue con él... Le he comentado que en el mundo hay muchos hombres maravillosos y que no debe soportar esta situación.

Índice